Le cycle de vie de

LA FOURMI

Texte de
Trevor Terry et Margaret Linton

Illustrations de
Jackie Harland

Traduit de l'anglais par
Marie-Andrée Clermont

The Life Cycle of an Ant
Copyright © 1987 Wayland (Publishers) Ltd
Version française
pour le Canada
© Les Éditions Héritage Inc. 1989
ISBN : 2-7625-5296-6
pour la France
© Bias Éditeur 1989
ISBN : 27015 0242 X
Dépôt légal : 2e trimestre 1989
Loi n° 49 956 du 16 juillet 1949 .
sur les publications destinées à la jeunesse
Imprimé en Belgique

Note aux parents et aux enseignants
Chaque livre de cette série a été spécialement conçu et
rédigé pour initier les jeunes lecteurs aux sciences naturelles.

Table des matières

Tu trouveras l'explication des
mots en **caractères gras** dans le
lexique de la page 31.

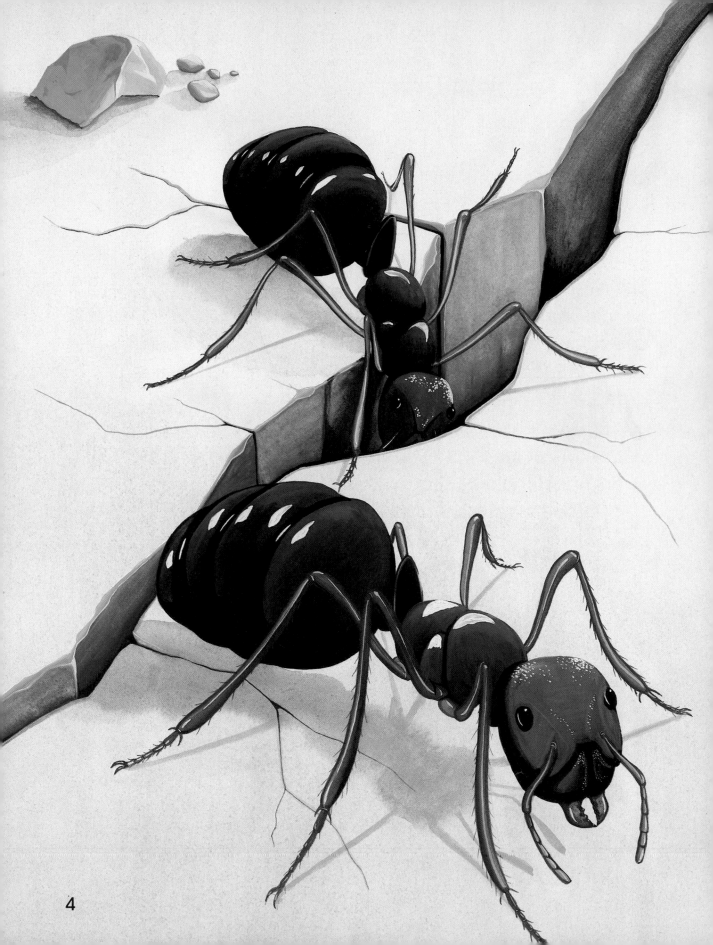

Où vit la fourmi?

La fourmi est un petit **insecte** très affairé. Elle vit en colonie dans un nid que l'on appelle « fourmilière ». Différentes espèces de fourmis choisissent des sites différents pour aménager leurs fourmilières. Certaines espèces se construisent de petites collines dans les prés ou au creux des bois. D'autres préfèrent établir leur chez-soi sous les pierres ou les pavés.

La fourmi vit en société.

La fourmi vit et travaille en société, tout comme nous. On trouve dans la même fourmilière une **reine fourmi**, des **fourmis mâles** et des **fourmis ouvrières**. La reine est la plus grosse fourmi de la colonie ; c'est elle qui pond les œufs. Les ouvrières, qui sont minuscules, abattent toute la besogne. Il peut y en avoir des milliers dans une seule fourmilière.

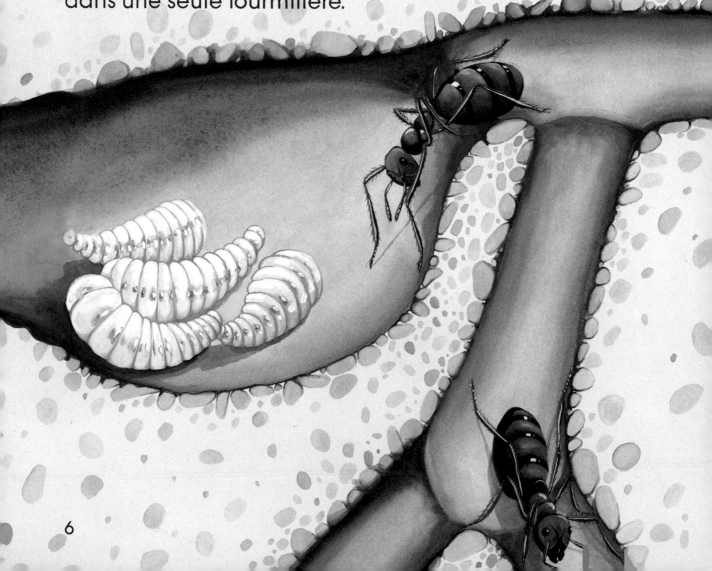

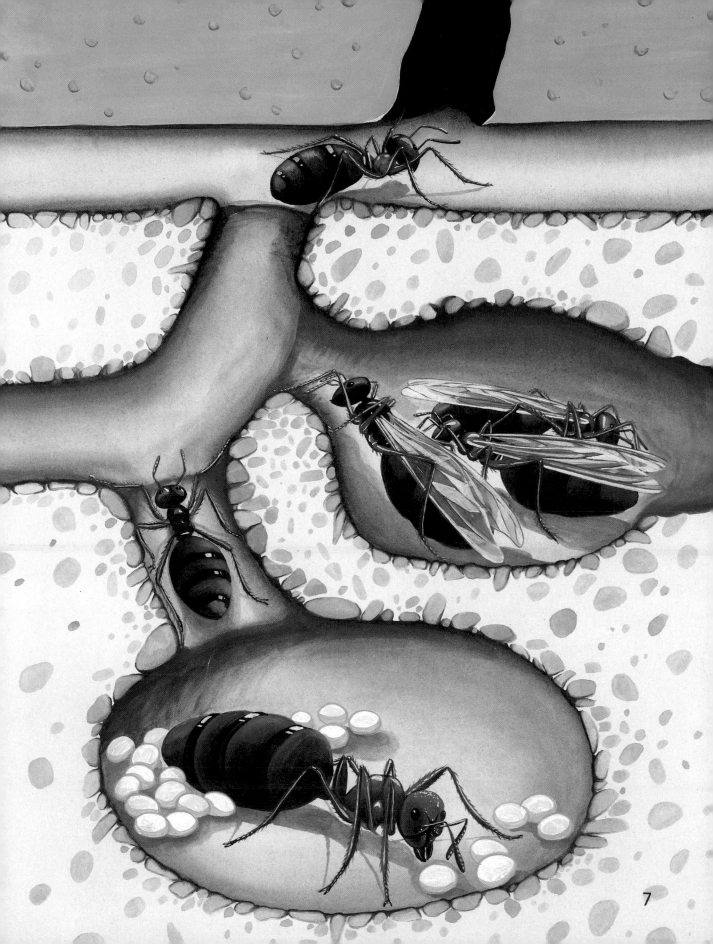

8

Les jeunes reines s'envolent avec les mâles.

Par une douce journée d'été, les jeunes reines et les mâles s'envolent dans le ciel pour **s'accoupler**. C'est ce qu'on appelle le **vol nuptial**. Après ce vol nuptial, les mâles meurent. C'est alors que les jeunes reines se préparent à pondre leurs premiers œufs.

La reine commence une nouvelle fourmilière.

Avant tout, la jeune reine se met à la recherche d'un bon endroit pour construire sa fourmilière. Elle y passera le reste de sa vie. Et sais-tu ce qu'elle fait lorsqu'elle a enfin trouvé le site idéal? Elle se sépare de ses ailes! Elle entreprend alors de se creuser un petit tunnel souterrain.

La reine pond ses premiers œufs.

Le tunnel terminé, la reine pond ses premiers œufs. Puis, à l'approche du temps froid, elle s'endort. Son sommeil dure tout l'hiver. Elle s'éveille au printemps et prend soin de ses œufs. Elle les lèche pour les garder propres.

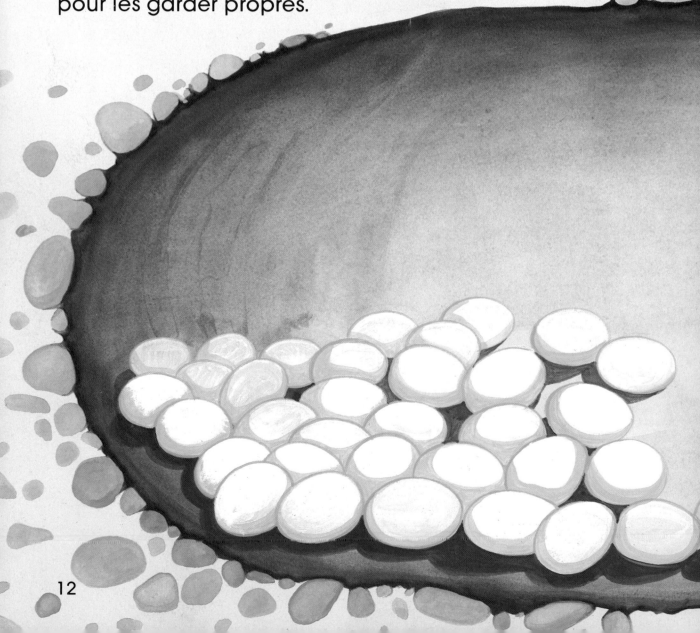

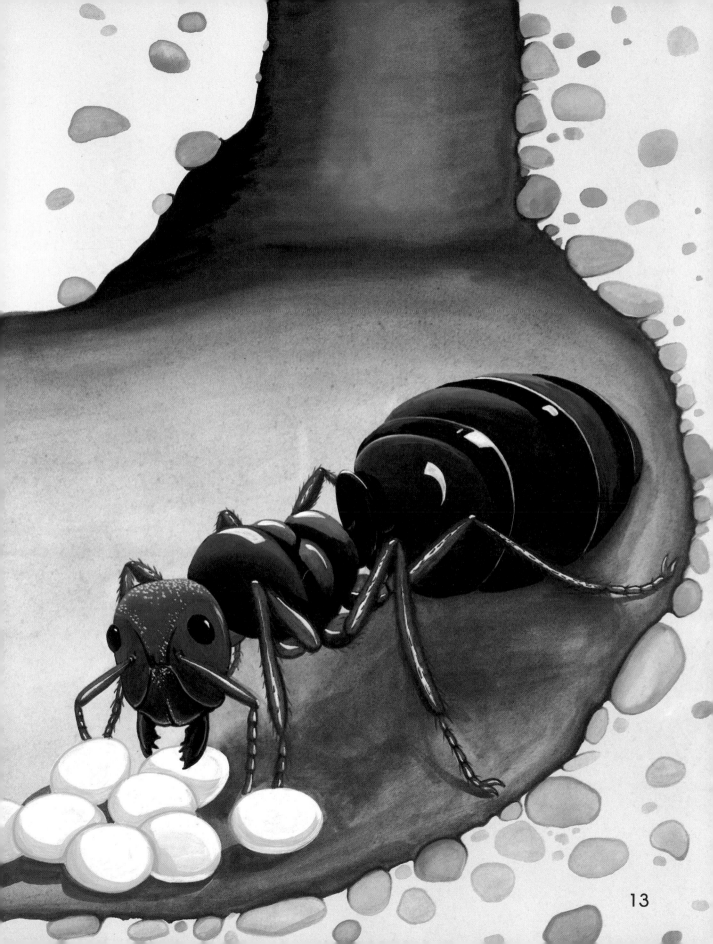

Les œufs commencent à éclore.

Après quelques semaines, les œufs éclosent, sous forme de **larves**. Chaque larve se compose d'un corps mou, d'une bouche et de minuscules mâchoires pointues. La reine nourrit les larves, qui grandissent rapidement. Elles deviennent bientôt trop grosses pour la peau qui les recouvre. La vieille peau tombe alors et une nouvelle se met à pousser. C'est ce qu'on appelle la **mue**.

La naissance de nouvelles fourmis ouvrières.

Lorsque la larve atteint ainsi sa taille maximale, elle construit autour d'elle-même une sorte d'enveloppe rigide, appelée **cocon**. À l'intérieur du cocon, la larve devient une **chrysalide**. Et au bout d'un certain temps, la chrysalide se transforme en fourmi ouvrière. La reine aide alors les jeunes fourmis à sortir de leurs cocons.

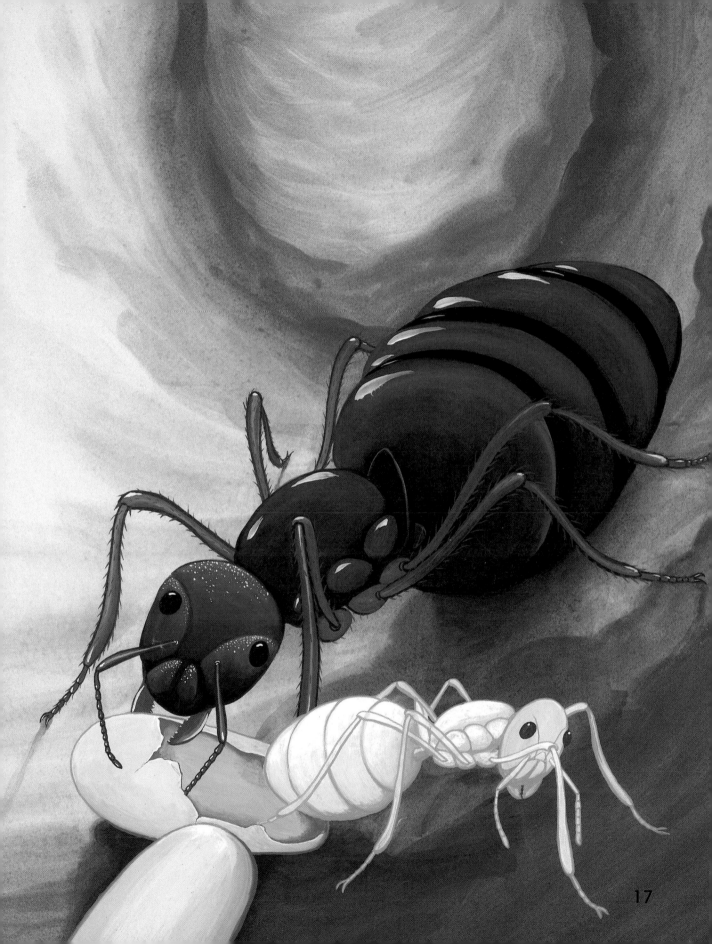

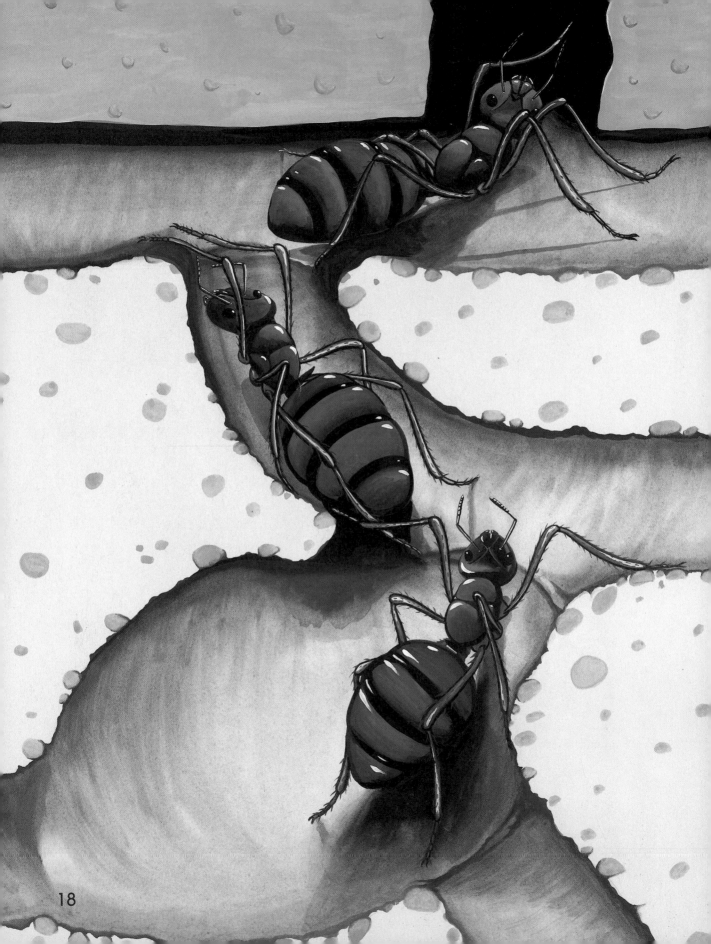

Les ouvrières se mettent au travail.

La peau des nouvelles fourmis est d'abord pâle et douce, puis devient foncée et plus dure. Elles commencent toutes à travailler et certaines vont à la recherche de nourriture. Elles raffolent de la « rosée de miel », liquide sucré produit par des insectes appelés **pucerons**.

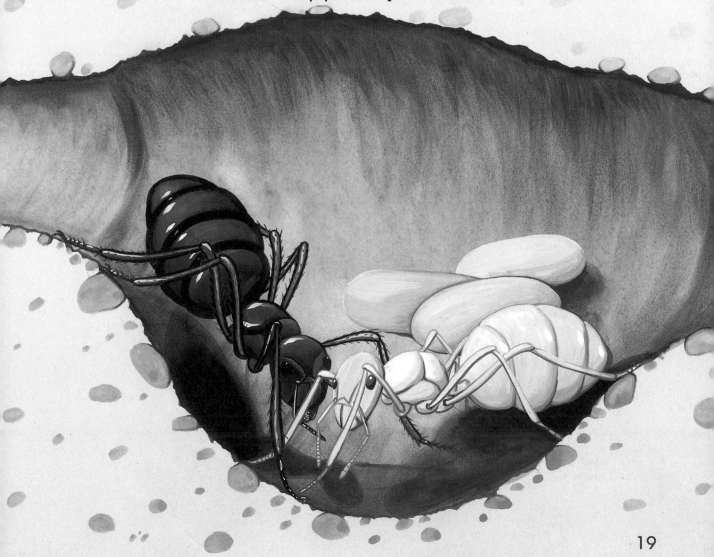

Les ouvrières prennent soin de la reine.

Un certain nombre de fourmis ouvrières sont au service de la reine. Elles la nourrissent, en faisant passer des aliments de leur propre bouche dans celle de la reine. Elles la lèchent aussi, pour la garder bien propre. Pour sa part, la reine n'a pas cessé de pondre : il y a de plus en plus d'œufs, de larves et de cocons dans la fourmilière.

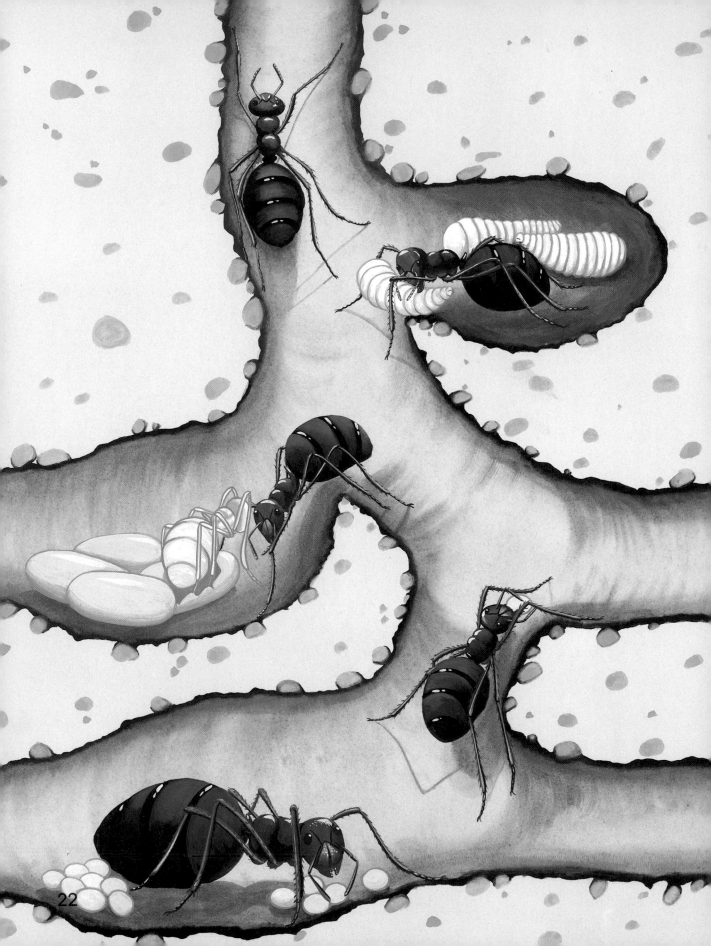

L'été, la fourmilière déborde d'activité.

L'été se passe à creuser des tunnels et à garder la fourmilière en ordre. Quelques ouvrières vont à la recherche de nourriture, et d'autres s'occupent d'alimenter les larves et les jeunes fourmis. Il y a aussi des **fourmis infirmières**, chargées de transporter les œufs, les larves et cocons à différents endroits de la fourmilière.

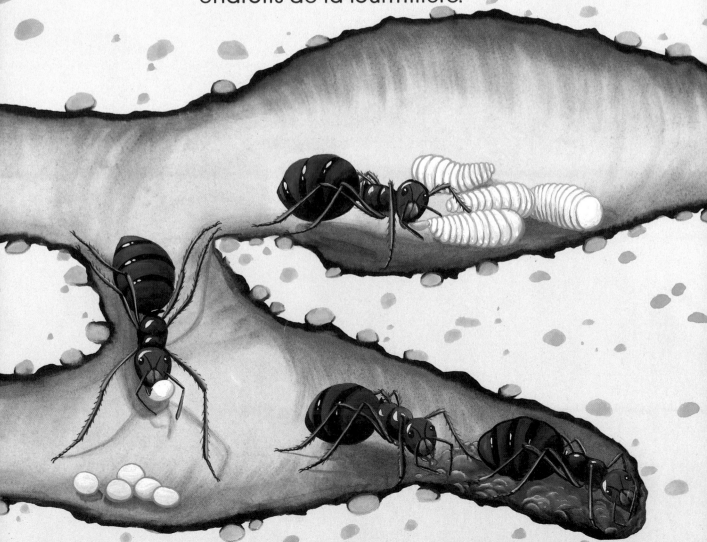

Les nouvelles reines et les mâles.

Au cours de l'été, la reine pond des œufs de types différents, qui donneront naissance à des mâles et à de jeunes reines. Les larves sont alors plus grosses. Les ouvrières les nourrissent d'aliments spéciaux. Plus grosses que les ouvrières, les fourmis mâles et les jeunes reines ont des ailes.

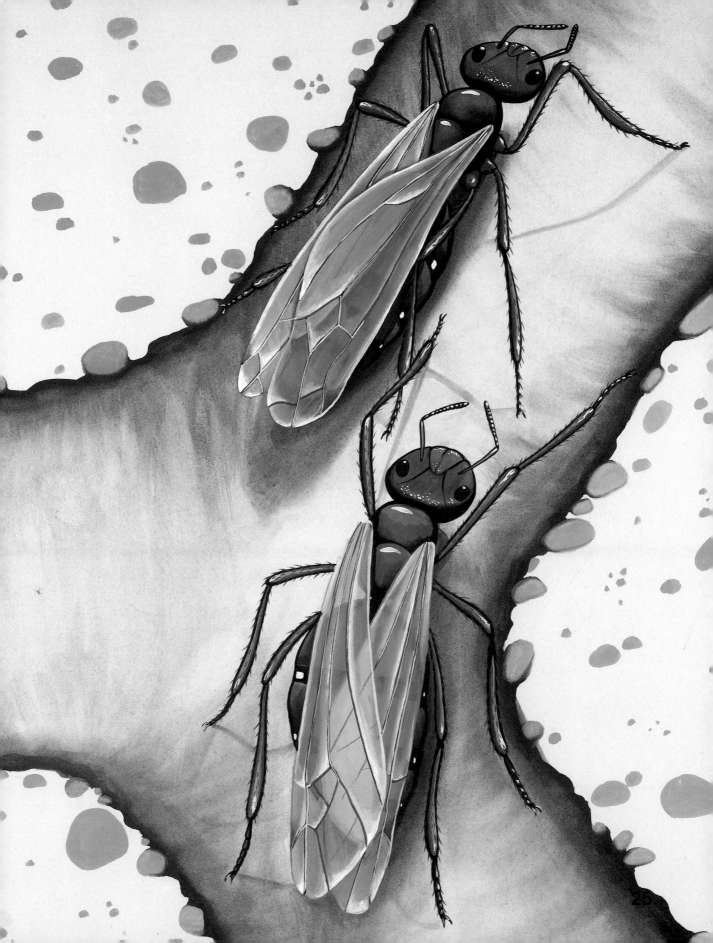

Les reines et les fourmis mâles sont prêtes à s'envoler.

Par une douce journée d'été, les mâles et les jeunes reines sortent de la fourmilière, escortés des ouvrières qui se rassemblent autour d'eux. Puis les mâles s'élancent dans les airs en compagnie des jeunes reines, pour le vol nuptial. Et c'est la même histoire qui recommence.

Aimerais-tu avoir ta propre colonie de fourmis?

Tu peux aménager un habitat de fourmis, comme celui qui est illustré. Mets de la terre humide dans un gros bocal que tu poses dans un plat d'eau (l'eau empêchera les fourmis de se sauver). Fouille ensuite sous les pierres du jardin pour trouver des fourmis. Demande l'aide d'un adulte. Place les fourmis dans le bocal et couvre-le d'une planche de contre-plaqué percé d'un trou au milieu.

Étends un peu de miel sur un petit morceau d'écorce, que tu déposeras sur la planche de bois. Les fourmis mangent aussi des miettes de gâteau. Comme elles n'aiment pas la lumière, couvre le plat et le bocal d'une boîte de carton. Retire-la après quelques jours et vois si les fourmis ont commencé à creuser des tunnels. Mais n'oublie pas de remettre la boîte.

Le cycle de vie de la fourmi.

Te rappelles-tu les différentes étapes du cycle de vie de la fourmi? On a illustré ici le cycle de vie d'une fourmi reine.

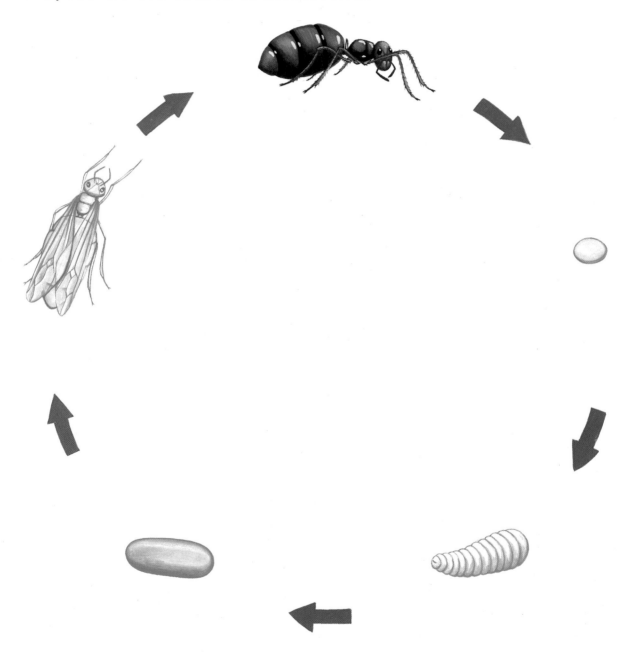

Lexique

Accoupler(s') : union du mâle (papa) et de la femelle (maman) animaux. C'est par l'accouplement que les bébés animaux sont faits.

Chrysalide : état de repos de la larve de la fourmi, pendant lequel elle se transforme en insecte adulte.

Cocon : enveloppe qui entoure la chrysalide.

Fourmis infirmières : fourmis chargées d'aider la reine à veiller sur ses œufs. Ce sont elles, également, qui déplacent les larves et les cocons à travers la fourmilière.

Fourmis mâles : fourmis qui s'accoupleront avec les jeunes reines au cours du vol nuptial.

Fourmis ouvrières : petites fourmis femelles qui n'ont pas d'ailes. Elles se chargent de différentes besognes à l'intérieur de la fourmilière.

Insectes : petits animaux dépourvus de colonne vertébrale. Ils ont trois paires de pattes et, la plupart du temps, deux paires d'ailes. Leurs corps sont recouverts d'une peau dure.

Larve : ce qui sort des œufs d'insectes ; une des étapes du développement de l'insecte.

Mue : lorsqu'une chenille (ou une larve) devient trop grosse pour la peau qui la recouvre, la vieille peau tombe et une nouvelle se met à pousser. C'est ce qu'on appelle la mue.

Puceron : petit insecte qui suce le liquide des plantes pour s'en nourrir.

Reine fourmi : fourmi femelle qui pond des œufs.

Vol nuptial : moment où les jeunes reines et les fourmis mâles quittent le nid et s'envolent pour s'accoupler.

Index